Fachliche Beratung:

Günter Fischer

Geograph, München

Übersetzt von Alexandra von Kalnein
Herausgabe und Redaktion:
Barbara Veit und Christine Wolfrum

ISBN: 2-88168-141-7

Titel der Originalausgabe: Au coeur de l'Afrique, le long du fleuve

Printed in Italy by Editoriale Libraria

MONDO - VERLAG

Leben am Dschungelfluß

Text von Chantal Henry-Biabaud
Illustrationen von Jean-Marie Poissenot

MONDO - VERLAG

CHUM UND LUEG

Vor uns liegt eine lange Schiffsreise.

Unser Schiff wartet in Kinshasa, einer Stadt in Zentralafrika. Kinshasa ist die Hauptstadt von Zaire. Auch der große Fluß heißt Zaire, und an seinem Ufer stehen moderne Hochhäuser gleich neben Lehmhütten. Bevor ein Schiff ausläuft, herrscht im Hafen ein wildes Durcheinander. Fahrgäste in bunten Gewändern drängen aufs Schiff. Schon am frühen Morgen ist es sehr heiß. Pirogen (Boote der Einheimischen) umkreisen den Flußdampfer.

Der Äquator verläuft mitten durch den riesigen afrikanischen Kontinent, der 8 000 km lang und 7 600 km breit ist.

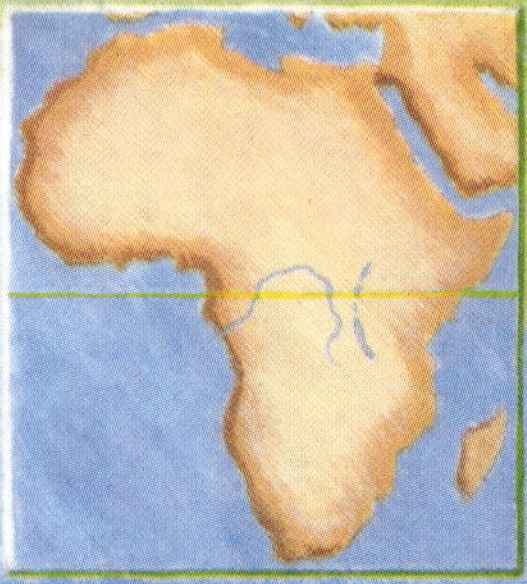

<u>Der Fluß Zaire, den man früher Kongo nannte,</u> ist 4 320 km lang und kreuzt zweimal den Äquator. Mit Schiffen befahren kann man ihn nur zwischen Kinshasa und Kisangani. Der mächtige Strom ist an seiner Mündung 40 km breit; Mangrovenwälder säumen dort die Ufer.

Gewaltige Wasserfälle und gefährliche Stromschnellen machen die Schiffahrt am Ober- und Unterlauf des Zaire unmöglich.

Immer auf der Suche nach Wasser und Weideplätzen ziehen die Nomaden mit ihren Herden durch die Wüste.

In den Savannen verstecken sich Löwen zwischen hohen Gräsern, um sich an ihre Beute anzuschleichen.

Im tropischen Regenwald wachsen riesige Bäume. Es gibt unzählige Vögel, Schmetterlinge und natürlich auch Affen.

In Afrika gibt es riesige Wüsten: im Norden die Sahara, im Süden die Kalahari. Dort fällt kaum Regen, und nur wenig kann wachsen.

Agame

Je näher man dem Äquator kommt, desto mehr regnet es. **Hier beginnt die Savanne:** So nennt man die großen Prärien der warmen Länder, in denen hohe Gräser und vereinzelt Bäume wachsen.

Oryxantilope

Noch näher am Äquator regnet es wahre Wolkenbrüche. Es ist schwül, der Himmel ist oft grau, und die Wolken hängen tief. Es ist die Region des **tropischen Regenwalds,** der sich wie eine Art Bauchbinde um die Erde zieht.

Gorilla

Netzpython

Unser Schiff legt ab: Unzählige Fahrgäste sind inzwischen an Bord – zwischen zwei- und dreitausend. Sie tragen Töpfe, Schüsseln, Schlafmatten, Körbe voll mit Lebensmitteln und kleine Tiere wie Hühner und Ziegen.

Schnell sind alle Plätze besetzt. Die Reise wird sieben Tage und sieben Nächte dauern, und unser Schiff wird nur kurze Pausen in einigen Häfen machen!

Mehrmals tuten die Schiffssirenen, die letzten Pakete werden hastig zusammengerafft. Neugierige drängeln am Kai, einige fallen sogar ins Wasser… es herrscht Abfahrtsstimmung!

Die Reisenden an Bord richten sich inzwischen gemütlich ein: Sie rollen ihre Matten aus, kochen, spielen Karten, und einige tanzen. Es riecht nach heißem Fett, und überall kreischen Kofferradios.
Diese schwimmende Stadt, deren Kapitän zugleich Bürgermeister ist, bewegt sich langsam durch das lehmige Flußwasser.

Der Kapitän muß genau aufpassen, denn die Fahrt ist schwierig. Uns begegnen Flöße aus Baumstämmen, schwer beladene Fähren und viele kleine Boote.

Gefährlich sind auch die Sandbänke, die sich immer wieder an andere Stellen verlagern. Wasserhyazinthen bilden grüne Teppiche auf dem Wasser und können sich leicht in der Schiffsschraube verfangen. Über die Herkunft dieser Pflanze erzählt man sich, daß ein belgischer Missionar sie auf seinem Balkon züchtete. Ein Sturm soll sie in den Fluß geweht haben, wo sie sich schnell vermehrte. Es gibt bis heute kein Mittel gegen sie.

Das Okapi sieht ein wenig seltsam aus: Der Kopf erinnert an eine Giraffe, der Körper an einen Esel und die Beine an ein Zebra.

In der Nähe von Mbandaka wird der Regenwald immer dichter.
Gewaltige Bäume reihen sich aneinander: Mahagoni, Palmen, Kapokbäume mit Stämmen, die an weißen Stein erinnern und eine Höhe von sechzig Metern erreichen.
Auf den Baumwipfeln leuchten Orchideen in allen Farben. Lianen und Flechten hängen von den Zweigen herab.
Wie eine grüne Mauer säumt der Urwald den Fluß. Unzählige Insekten leben im Dämmerlicht dieser undurchdringlichen Welt. Manche Schmetterlinge haben eine Flügelspanne von fünfundzwanzig Zentimetern.
Wenn wir Glück haben, sehen wir einen Papagei oder sogar das seltene Okapi, wenn es zum Trinken an den Fluß kommt.

Ein Dorf ist am Ufer aufgetaucht.
Die Häuser sind aus Lehmziegeln gebaut, die Dächer mit Palmzweigen gedeckt. Es gibt keine Straße und keine Eisenbahn. Der ganze Verkehr geht über den Fluß!

Unsere Ankunft ist ein Ereignis! Alle Dorfbewohner eilen herbei und winken. Von Booten aus bieten sie uns Fische und Fleisch zum Kauf an.

Häuptling und Medizinmann sind die wichtigsten Menschen im Dorf.
Letzterer ist dafür zuständig, Krankheiten zu heilen und böse Geister zu vertreiben.
Die Männer des Dorfes fällen Bäume und lichten den Urwald mit großen Buschmessern.
So schaffen sie Platz für Felder, die dann von den Frauen bebaut werden.
Sie pflanzen vor allem Maniok an, eine Pflanze, aus deren Knollen Mehl gewonnen wird.
Maniok ist eigentlich giftig, und man muß das Mehl rösten oder kochen, ehe es genießbar wird. Die Arbeit auf den Feldern ist schwer, und es ist sehr heiß. Die Frauen holen außerdem Wasser und waschen die Wäsche am Fluß. Dabei tragen sie ständig ihre kleinen Kinder auf dem Rücken.
Die Männer bauen die Häuser, fangen Fische und gehen zur Jagd. Dabei werden sie von ihren kleinen Hunden begleitet.

Alle Schwierigkeiten im Dorf werden unter dem großen Palaver-Baum gelöst. Palavern bedeutet diskutieren.

Der Markttag ist ein Ereignis!

Einmal in der Woche eilen die Frauen schon am frühen Morgen, wenn es noch nicht heiß ist, zum Markt. Sie sind dabei Käuferin und Verkäuferin zugleich. In Körben, Schüsseln oder auf Tüchern bieten sie alle Arten frischer Früchte an: Mangos, Bananen, Ananas, Papayas, Orangen, Kokosnüsse.
Sie verkaufen auch Gemüse: Süßkartoffeln, Yamswurzeln oder Maniok. In großen Ballen liegen bunte Stoffe bereit. Aus ihnen nähen die Frauen ihre herrlichen Gewänder. Man kann aber auch Fleisch kaufen – Affenfleisch zum Beispiel oder Antilopenfleisch, geräuchertes Elefanten- oder Krokodilfleisch, Fische und getrocknete Raupen. Grause dich nicht: Auch bei uns gibt es seltsame Spezialitäten.

Kalebasse

Geschickt tragen die Frauen riesige Gefäße auf ihren Köpfen.

Die Kinder des Dorfes sind überall dabei!

Die Mädchen helfen ihren Müttern bei allen Arbeiten. So lernen sie auch, die Maniokknollen in großen Mörsern zu zerstampfen. Das Maniokmehl wird bei der Zubereitung aller Soßen verwendet. Oder man formt kleine Kugeln daraus, die, in Bananenblätter eingerollt, in großen Wasserkesseln gekocht werden.
Die Mädchen tragen übrigens kunstvolle Zopffrisuren.
Die Jungen werden von den Vätern zur Jagd und zum Fischen mitgenommen. Sie lernen Tierrufe nachzuahmen, Fallen zu bauen und mit Pfeil und Bogen umzugehen.

Zwei oder drei Bänke, eine schwarze Tafel: das ist die Dorfschule!

Und die Schule? In vielen Dörfern gibt es keine. Die Kinder müssen dann in die Schule des Nachbardorfes gehen, und das bedeutet oft zwei, drei Stunden Schulweg. Sie kommen müde an und kehren müde zurück. Viele Kinder gehen gar nicht zur Schule.

Es gibt keine gekauften Spielsachen. Diese Autos haben die Kinder selbst gebaut.

Es gibt immer Grund zu feiern: eine gute Ernte, eine Geburt, eine Hochzeit!

Bei so einem Fest setzen die Dorfbewohner Holzmasken auf, schmücken sich mit Federn und Tierhäuten, bemalen sich und tanzen die ganze Nacht zum Rhythmus der Trommeln (Tamtams). Jedes Dorf hat seine eigenen Tänze, die auch eine bestimmte Bedeutung haben – z. B. „Der Unbesiegbare“, „Der Krieger“ oder „Der stechende Blick“.

Tief im Innern des Regenwalds leben die Pygmäen. Diese Menschen sind sehr klein. Die größten unter ihnen werden höchstens 1,50 m groß. Sie sind Nachkommen der Ureinwohner Zentralafrikas. Sie sind dem Leben im Urwald vollkommen angepaßt – er versorgt sie mit allem. Selbst Seife und Zahnpasta stellen die Pygmäen aus Pflanzen her.

Die Pygmäen wohnen in leichten Hütten aus Ästen und Blättern, die wie kleine Iglus aussehen. Sie essen Wild, gegrillte Raupen und Waldfrüchte. Sie kennen viele Heilkräuter und sind gute Ärzte.
Außerdem können sie hervorragend tanzen und musizieren.

Pygmäen sind geschickte Jäger und stellen vergiftete Pfeile selbst her.

Bei unserer Fahrt flußaufwärts
können wir immer wieder den Fischern zusehen. In der Nähe von Stromschnellen befestigen die Fischer Weidenkörbe an Gerüsten aus Baumstämmen. Die Körbe ähneln unseren Reusen und werden mit Lianen festgebunden.

Eine Art des Fischfangs heißt „n'gibi". Dabei wirft man Netze aus und spießt die Fische unter Wasser mit Speeren auf.

Von Zeit zu Zeit springt ein Mann ins Wasser, um nachzusehen, ob sich Fische in den Körben gefangen haben. Wenn er ein Zeichen gibt, wird der Korb schnell herausgezogen. Im Zaire gibt es sehr große Fische – Welse zum Beispiel Sie können bis zu hundert Kilogramm schwer sein.

Man fischt auch mit Speeren und Angeln. Manchmal werden richtige Wettkämpfe unter den Fischern veranstaltet. Dann versammeln sich viele Boote auf dem großen Fluß.

Unsere Schiffsreise ist beendet. Wir fahren mit einem Bus über staubige Straßen zum Virunga-Nationalpark mit seinen Vulkanen und Seen. Es ist der einzige Ort der Welt, an dem man Berggorillas in Freiheit beobachten kann.

An den Ufern der Seen leben Tausende von Vögeln! Pelikane mit ihren riesigen Schnäbeln und kahlköpfige Marabus warten auf die Rückkehr der Schiffe, die mit Buntbarschen beladen sind. Sie hoffen auf die Reste des Fischfangs. Im flachen Wasser streiten sich kleine Karpfen um die Abfälle. Am Ufer breiten die Menschen ihre Wäsche zum Trocknen aus oder nehmen selbst ein Bad.

Der schönste Nationalpark der Welt!

Im Virunga-Park leben Elefanten, Büffel, Antilopen, Gnus, Zebras, Löwen, Leoparden und Flußpferde. Sie stehen zwar unter Naturschutz, doch immer wieder töten Wilderer einige Tiere. Die Menschen in Zaire sind arm, und das Fleisch der wilden Tiere kostet nichts.

Außerhalb der Dörfer kann man zahme Tiere treffen. Trotzdem ist es erschreckend, plötzlich einem riesigen Elefanten gegenüberzustehen. Es ist sicher besser, nicht zu nahe an die Tiere heranzugehen. Elefanten sind keine Schoßtiere…

*Ich will mich erinnern, was ich war.
Bin müde der Fessel und Kette.
Ich will mich erinnern alter Kraft
und heimatlicher Stätte.
Ich biete den Rücken nicht länger dar
für leckere Nichtigkeiten,
will wieder mit meiner Brüder Schar
durch der Dschungel Dickicht schreiten.*

Durch Dickicht und Nacht, bis der Morgen erwacht,
Wo der Wind mich umkost, wo die Quelle lacht…
Will vergessen das Seil, das den Fuß mir hält.
Will brechen den Zaun, der das Lager umstellt,
Will hinaus zu den Lieben, die ich verlor –
Frei sein in der Dschungel… frei, wie zuvor!

Rudyard Kipling